A
PACIÊNCIA
DA
FRUTA

A PACIÊNCIA DA FRUTA

José Carlos Honório

1ª edição
São Paulo, 2018

LARANJA ● ORIGINAL

Este livro é dedicado a duas mulheres:
Ana e Clarice.
A primeira me ensinou.
A segunda me mantém.

Marte, la guerra. Febo, el sol. Neptuno,
el mar que ya no pueden ver mis ojos
porque lo borra el dios. Tales despojos
han desterrado a Dios, que es Tres y es Uno,
de mi despierto corazón. El hado
me impone esta curiosa idolatría.
Cercado estoy por la mitología.
Nada puedo. Virgilio me ha hechizado.
Virgilio y el latín. Hice que cada
estrofa fuera un arduo laberinto
de entretejidas voces, un recinto
vedado al vulgo, que es apenas, nada.
Veo en el tiempo que huye una saeta
rígida y un cristal en la corriente
y perlas en la lágrima doliente.
Tal es mi extraño oficio de poeta.
¿Qué me importan las befas o el renombre?
Troqué en oro el cabello, que está vivo.
¿Quién me dirá si en el secreto archivo
de Dios están las letras de mi nombre?
Quiero volver a las comunes cosas:
el agua, el pan, un cántaro, unas rosas...

Jorge Luis Borges

SUMÁRIO

Encontro dado, 13
Pelos olhos seus, 17
Pulso da água, 18
Líquidos obtusos, 19
Meio estirado, 20
Flores em palavras, 21
Garganta pulsante, 22
Forasteiro, 23
Lagarta no corpo, 25
Cabana, 27
Amor sem portas, 28
A vida é de bruços, 29
Relâmpagos, 31
Pomares ausentes, 32
Ar natalino, 33
Pés pedintes, 34
Abertura, 36
Lágrimas coladas, 37
Batismo, 39
Quase felicidade, 40
Escada que foge, 42
Mistura de ossos, 43
Estremecimento de membros, 44
Alojamento de pedra, 45
Dentes teus, 48
Nuvem de ostras, 50
Deus terá luvas?, 52
Nuvens, 54
Por enquanto, 56

Fuligem de aranha, 57
Bicicleta ancorada, 59
Meu corpo te pede, 61
Insetos ausentes, 63
Nada do mesmo, 64
Tácito, 65
Onde?, 66
Desmerecimento da fruta, 67
Olhos mornos, 68
Tarde assobradada, 69
Nome invertido no espelho, 71
A estrela, a vida, 72
Poesia, 73
Confissão, 74
Tem que ser longe e de dia, 76
Recolhimento, 77
Ninho no ombro, 78
Anjos maquiados, 79
Não me esqueça, 82
Café forte, 83
Nós te amo ou eu te amamos, 84
Laje muda, 85
Revoar mundano, 87
Faca derivada da busca, 89
A paciência da fruta, 91
Nuvem, 93
Vida oblíqua, 94
Sempre avesso, 95
Apelido de Deus, 96
O que cabe no seu silêncio, 97
Premeditar, 99
O eu inacabado, 105

ENCONTRO DADO

Eu não sei pensar no amor desvinculado de cuidado. Céus que se avantajam em meus ombros moles já. É um tal de escorrimento de nuvens para cima de mim. É um tal de andorinhas sem asas que se acumulam em meus bolsos. Penso no sulfúreo que a vida carrega em suas tramas e não me vejo adornado. Amor desvinculado de cuidado não merece o nome de amor. É oportunidade a ser vivida, não amor. Meu corpo, vez primeira e todas outras, reclama de amor mal dado. Meu coração está estirado, veias à mostra, nesse pergaminho maltrapilho onde seu nome se escreve diariamente. Penso em você dia todo com meu violão debaixo do braço esquerdo e penso também, quando deliro, na imagem deste violão pendurado numa parede de loja de uma recôndita cidade do interior. O cuidado da mãe na proteção ao filho. O cuidado da sereia na modulação da voz para o canto genuíno. Eu mereço e quero cuidados. Os poetas quando amam esquecem de si. É uma aritmética perversa de contentamento invertido, onde o que mais importa é o outro estar no lugar gozante e o poeta, homem imbuído de palavra, penando, pena, penando...

Local de vida é no coração ocupado, saiba. Eu ocupo meu coração com preciosidades. Desde que o vertebrado bicho que me habita soube de amor e passou a escrever e falar sobre, tem sido assim: quase destino de maresia: enfrentar o cérebro. Para que cérebro quando se trata de amor? Local de vida é onde não sabemos dizer. É onde a muralha se esconde para dar lugar ao cavalo-marinho nas profundezas de mim. Meu aparato. Meu número sorteado. Meu olho com rímel. Um abaixar de olhos fundos quando em sua presença.

Abismos não me sabem quando estou com o coração à mostra. Somente lírios, camélias e cheiros que inebriam. Cuido da vida como quem fala com Deus. Na verdade, cuido de entender como essa semelhança se dá. Trago comigo nas mangas esgarçadas da túnica de linho, bisnagas de tintas coloridas que, em transe primário e secundário, vou esfregando pelas paredes que me aparecem pela frente. Deliciosamente delirante. O amor me constrói de um modo inequívoco, como se dá a construção das palafitas que em meus sonhos são indestrutíveis.

Local da minha vida é dentro da sua alma, corpo, pensamento e desejo. Seu desejo é minha vida. Meu desejo é um rebanho bem alimentado. Seu desejo é a fruta que espero morder. Meu desejo é o seu resvalar por meus pendentes ossos, ossos, ossos...

Vou cuidar a vida inteira para que não te esqueça. Engradado de guloseimas. Lenço de pescoço voando longe e você chegando, chegando, chegando, chegado e... chega.

Abraço dado e olhos que se fecham para o sentir do encantamento do encontro dado.

José Carlos Honório

PELOS OLHOS SEUS

Meu olho esquerdo te vê demais
O direito já tanto faz
A nossa estória me alucina
E me encanta
Para você ela é passado
E não adianta
Não insista, você diz
Não insista, você cala
Não posso continuar assim
Acreditando um dia no sim
E no outro na batalha
De me fazer perceber
Pelos olhos seus
Querer seu toque em minha pele
Que alívio quando durmo
Quando posso
É difícil continuar te amando
É difícil
Mais que isso
É impossível te esquecer.

PULSO DA ÁGUA

Que as vogais de seu nome
Intransigentes
Adentrem meu palácio, barbante
E as consoantes
Barbatanas postas
Me façam isso: raptável
Barbatanas de peixes que desconheço
Muitos que desconheço
Pertençam à minha cesta fictícia
Vogais soletráveis
O pulso da água me sabe remável
E absorvível
Mas sou: demônio e dispersivo
Atenue em você
O modo de negar o amor
Porque assim
Fica mais fácil:
Nuvem captável e dourada
Não mais te esperar.

LÍQUIDOS OBTUSOS

Hás de ter-me perolado
Hás de ter-me vulcanizado, eterno
E feliz
Hás de encantar-me com gestos poucos
Já que assim pedi a Deus
Hás de emanar-me em cheiros e suores
E líquidos obtusos que
Espontaneamente,
Sairão de suas vísceras noturnas
E então, e então
E então eu te perdoarei.

MEIO ESTIRADO

Para quem vive alheio
Assim, meio estirado
Assim como eu
Aliás
Você sabe que eu sempre gostei
De andar no meio da rua
Desprezando a segurança
Da calçada e do meio-fio
Prefiro inundação
Do que garoa fina
Por que me prevenir
Para que se prevenir
Não é isso que quero para mim
Quero perigo, correr riscos
Quero o outro lado, seja ele qual for.

FLORES EM PALAVRAS

As palavras disformes
Soam toscas para meu ouvido aprendiz:
Capatazes, torpores
Genuflexões, miosótis
Meridianos, cruzes
Insanição, rezas
Guatemaltecos, poções
Outono, alabastro
E o pior:
O que não se diz é de difícil entendimento
A tarefa é a seguinte:
Pronunciar seu nome fatalmente
Túmulo violado e coroa de flores murchas
As palavras se fossem ditas
Pausadamente
Seriam água pura e lembranças de infância
No entanto existem carpas que se afugentam em águas
Claras, claras...

GARGANTA PULSANTE

Tempos de diamantes
E espreguiçares
Seus passos
Ondas sonoras marinhas
Que me faltam
Atormentado
Suplico por peixes frescos
E rezas
Ajoelhado repito
Com palavra rouca
Voz embargada
Garganta pulsante:
É tempo de diamante agora
E o sossego não chegará.

FORASTEIRO

Vejo prismas em teus olhos
Ou prismas não serão e sim
Obstáculos à minha compreensão?
Maremotos estanques
À vista
Maltratando
Também vejo primaveras
Nos olhos teus
Convidando-me
Para momento raro
Ou serão nuvens postas
Abraçando a vida de meus músculos
Pouco resistentes?
As guerras movidas pelos homens
Em tempos vários
São paradigmas
De meu coração acostumado
Com olhos postos, devotos.
O silêncio é minha vida e seus olhos
Impostores
Pois me arrancam palavras devassas
E trôpegas
Há mares te esperando
Asseguro
Há mares te esperando, seculares
Santificados e mais que tudo: reais.

Minha vida te espera
Forasteiro
Desbravador, viajante
E tanto faz, primitivo
Me determinei a te ouvir
Sejam quais forem
Suas palavras
E ouvirei:
Atento e absorvido.

LAGARTA NO CORPO

A sensação de ter uma
Lagarta pousada no abdome
Sem poder removê-la.
Entender isso é o que se quer
Navios que aportam e meu
Coração que não se cansa
Deus me deve uma explicação
Navios que ouço longe
Perto
Dentro de mim
Navios que sinto grandes
Em mim
Perfurantes
E que a explicação não venha
Assim: em doses pequenas
E abençoadas.
Quero que seja determinada
E convincente
Venha:
Meu tempo escasso não te entende
Aliás, ele, o tempo
Não percebe ninguém
E por que eu haveria?
O abdome arde
E eu continuo te esperando
Para viajarmos por mares desconhecidos

Navios afundados
Que rebocaremos
Um aperto no peito
Como quando se apaga as velas de aniversário
Do bolo frio
Quantas serão?
O peito apertado como quando se espera alguém
Que importa para uma festa de comemoração
Um aperto reto
No peito como quando
A pessoa que se espera atrasa.
Abdome
Que espécie de parte no corpo humano
É essa que deus desconhece
E que as lagartas
Conhecem tão bem?

CABANA

Cabana
Aba
Ana
No mais das vezes
Arrumar-se e esperar
Que a vida se prepara
Para suas surpresas
Você que espere
Ela vai, emboscada feita
Deixar-te em redemoinho
O amor aparece
Com sombras e dúvidas
Mas real, espere
Cabana
Cabana.

AMOR SEM PORTAS

Não sou bom em pontos finais. Estando aberto, que entre. Entre e fique. Fique e desfrute. É preciso de muita paciência para esperar que os acordos sejam firmados. Pontos finais se desprendem da língua de maneira equivocada. O amor não costuma encontrar portas nem ambientes fechados.

Quando cisma entra, avassala e se acomoda.

A VIDA É DE BRUÇOS

Indefinir é desdizer.
O que não se diz, não se sente.
Ou contrário:
O que se sente não diz.
O melhor da viagem:
Olhos fechados
Sentir-se pleno, potente
E deixar que aconteça.
Uma vez que a indefinição é
Palavra posta e morta
Melhor que se aprenda:
Ventos que vem e vão
São constantes.
Com eles a vida também segue
Segue, segue.
Os olhos fechados que intuem
Da vida:
Experimentar.
Como o casco do navio
Experimenta o mar e fica
Como os pés experimentam a estrada
E ficam.
Como as andorinhas,
Pássaros raros,
Experimentam o céu, e ficam
Experimente a felicidade.

É de verdade
É plausível, palpável, justa.
Não olhe para trás
Não se arrependa.
A vida é de bruços:
Quanto mais insensata,
Mais fascinante.
Minha vida te sente
E definir
É estar de olhos abertos
E prontos.

RELÂMPAGOS

Te esperei
Alcântaras e meandros desfeitos
Castelos de areia abafados.
Te esperei
Para um encontro,
Crisálidas melindradas
Que não voam,
Permanecem.
As janelas do meu quarto,
Olhos parados num lago escuro.
Te esperei como espera o padre, a noiva.
Onda do mar.
Te esperei como a brisa no rosto,
Relâmpago e raio juntos
Repentinos, seguidos,
E vida que seria nova
Mas não mais.
Não mais espero:
Hoje vou até.

POMARES AUSENTES

Noite de inverno e árvores espantadas
Cruas, semimortas.
Um ar gelado, tosco
Que se engancha nos poros.
Luar, luar, noite de inverno.
A sensação que o corpo sente
É parecida com o sabor que
A boca mostra
Numa gélida despedida.
Longe
Pomares que se ausentam
Longe dos homens
Que espiariam o surto.
Meu passo arriscando
Em direção ao abandono
E um lenço leve, leve
Abanado
Do alto.
Boca que chora à mostra.

AR NATALINO

Na vitrine de bonecos
Dentro
Cada um com sua
Própria vida.
Eu ele o outro.
Vida espetacular,
Cansada.
Os bonecos
Comportam-se
Como amadores
Já que não riem.
Vitrine indiferente,
Bonecos que suspiram,
Bonecos que aguardam.
Da vida:
Folhas verdes e
Ar natalino.

PÉS PEDINTES

Tetrazes que se agrupam em ninhada
Junto aos meus pés pedintes.
Solucionar é compreender.
Luas gigantes que se adiantam no calendário,
À espreita,
Se avolumam.
Homens que ignoram
Ignorantes
Ignorados
Ignóbeis.
Que a ignorância tenha parecimentos
Com repouso esperado.
Pássaros repousem em meio a mim,
Que espero.
Trago comigo uniformes
E sei, intimamente,
Me caem bem.
Peixes mordazes me induzem ao erro
E eu a eles.
A ternura é um arcabouço
E a vida depende de dízimos para ser-se.
Lêmures atocaiados merecem respirar, apesar.
Em oito segundo a vida se repetirá.
E então já não será mais a mesma.
A vida se mina indelevelmente,
Incongruente e displicentemente.

Aguardado adeus a ser dado
E coração comprometido.
Os dias de chuva são os piores,
Os dias de chuva são os melhores,
Os dias de chuva são os dias.
Turbulentas ideias sobre o amor
Percorrem o que resta de sangue
Em meu corpo.
E a vida nunca é divisível,
Apesar.

ABERTURA

Quando te vejo o mundo se abre,
Maresia que demora em meu corpo.
Enquanto meus olhos em ti repousam,
Pássaros brancos encantados
Batem asas perto.
Quando te vejo o mundo
Naturalmente
Se abre:
Diamante posto no peito
E meu pai,
Que me chama pelo nome,
Acerca.

LÁGRIMAS COLADAS

Mar manso.
Falar de morte em teu nome é dever.
Lágrimas que colam no rosto
E areia quente nos pés estrangeiros.
Morte tem gosto de todo dia.
Pois te quero ver
Me sabendo
Tocando
E ainda não.
Tenho árvores que brotam dos dedos
Em sua presença
E visões de céu azul
Sem nuvens.
Quando caminho ao seu lado
Seus passos pressentem os meus,
Ou deveriam.
Arcabouços postos em mares próximos,
Armadilhas.
Eu vivo a morte a cada instante
E surpreendo sorrindo.
Eu que penso em você
Em diâmetro de loucura
Não alcanço mar manso,
Porque seus olhos,
Pitangas estiradas,
Me enfeitiçam.

Espero a morte como quem,
Na altura da roda gigante,
Olha o horizonte:
Apreensivo e delirado.
Palavras não sei que definam.
Sei de uma coisa:
Seu sangue
E coração
Me enclausuram.
Violetas, margaridas e cerimônias.
Mar manso que toleraria
E morte que não vem.

BATISMO

Havia cipreste rente à parede.
Mãos que se assemelham
A véus.
Esvoaçamentos vãos.
Meu peito te pressente
Do outro lado do muro.
Estou disposto
A esquecer da minha vida por ti.
A paixão é repentina,
Hotel vazio
Pia batismável pronta
Sem quem celebre o encontro.
No entanto existe
O cipreste
E ele continuará.

QUASE FELICIDADE

Queria seu pé rente ao meu
Andando na areia
Algo beirando a felicidade.
Pés meus embaixo do céu,
Sobre a areia,
Ao lado do seu.
Visão esplendorosa de quase felicidade.
A vida não se basta em agonia
A vida, entenda-se
Para ser completa,
Cabelos desembaraçados
Tormentos à parte.
A vida, saiba:
Para ser divina, se se quer
Requer zelo e seus pés
Ajuntados aos meus.
Sem isso,
Andante na areia
Pensativo, acredito em assombrações,
E fecho os olhos.
O barulho que vem do mar
Te traz
Te traz manso e pedinte
Te traz alheio à sua vida
Confinado à minha

Como eu sempre quis.
Isso:
Viva um pouco de minhas surpresas
Porque sua vida:
Jornal rasgado e descontentamento.

ESCADA QUE FOGE

Quero medir pausadamente
A pressão de sua mão quente,
Úmida
Em meu pescoço pronto.
Que a vida não nos engane:
Falar demorada e obscenamente
Criteriosos absurdos em
Seu ouvido.
É urgente, necessário
Encantações, magias
Amuletos postos de lado
Engrenagens, subidas em escadas
Palpitações, postos fora.
Sua mão
Fundamenta
Isto mesmo, fundamenta
Solidifica
Consolida
O que tenho de vida para exercer
Aqui.

MISTURA DE OSSOS

Sou uma mistura de ossos,
Mulheres e homens.
Somos repulsivos
Somos isso:
Românticos,
Espelho,
Já que iguais
Sou o que você quiser
Sou o que quero ser,
Sou isso.
Encantamentos à parte:
Que faremos de nós?
Quem serás?
Quem serei?

ESTREMECIMENTO DE MEMBROS

Pontes elevadiças que conduzem
Pétalas de flores
Ao caos.
Viver significa estar atento
Vicissitudes
Estradas mal iluminadas
Acostamentos escassos
E ideia de desaparecimento,
Estremecimento de membros.
Estar atento com a vida
Porque ela pode nos cegar,
Em estradas feitas e não.

ALOJAMENTO DE PEDRA

Estendidos, os braços de cristo
Parecem me dizer: pode vir.
E minhas dúvidas continuam frequentes
E cada vez maiores.
Isto aqui:
A cidade, meu corpo, o pássaro.
O homem é um alojamento de pedra,
Intocável.
Estendidos, ir para onde e para que,
Se o que ouço são murmúrios
E menos que palavras:
Insetos que rondam.
Menos que palavras:
Gestos incompletos e vazios de paisagem.
Ir para que, cristo, se, ao chegar
Minhas lágrimas estarão pedras
E meus soluços teias de aranha
Engastados na garganta
Que sempre pede
O homem, o pássaro,
A lâmina dentro da mala antiga.
Meus verbos bem usados
O desespero dos braços abertos que pedem.
Não vejo seu rosto, cristo, nunca o vi.
As fotografias que vejo, além de gastas,
São irreparavelmente falsas, forjadas,

Embaçadas, diria.
Fotografias moles em seu significado maior:
Mostrar.
Pode abaixar os braços, cristo, pois
Não chegarei nem perto deles.
Percorrem-me arrepios constantes
E você nem percebe.
Seus braços são de pedra
Contudo, fala-se
Seu coração e sua alma
Convivem bem e não são.
Os homens que circundam a vida
Sabem do céu que os abarca,
Ao menos, deveriam.
Olho a paisagem e deliro.
O amor que está em mim
É como uma mangueira posta no jardim
Sem água, posta apenas,
Plantas que murcham
Que esperam a passagem da água
Pela própria vida.
Cristo que não abaixa seus braços
À espera.
Já disse:
A prisão está em mim
Portanto, morro, mas não vou.
Morro, portanto, como vim ao mundo:
Esquecido e solitário
Mas feliz como sempre estive
De alma posta à revelia.

Além do mais
Deixem os mortos enterrados
E os santos descobertos.
Preparem o altar da mais alta glória
Com ornamentos e águas
Pois já aprendi
A ter paciência com a vida.

DENTES TEUS

Croácias, barbatanas e suaves atritos
Misericórdias sendo concedidas
E eu teimando em lembrar teu nome.
Que eu não me aproxime do obscuro.
Objeto imantado de feitiçaria
Você traz nos dentes
Que me pedem, sorriem,
Falam, dentes que me falam.
Lua posta em praia póstuma,
Sem deus perto
Apenas pardais,
Sublimes e cotidianos.
Eu te pertenço mesmo sem te conhecer.
Com qual das mãos posso
Abrir seu armário?
Roupas desconhecidas
Horizontes crepusculares
Sua boca que, intencionalmente,
Me sabe.
Sem saber
Sem saber e
Apenas adivinhando.
Dezoito anos não se constroem assim:
Pardais coloridos,
Luas quadradas,
Ovos sem gemas e gens.

Te conheço assim:
Santo feito e cartas adivinháveis,
Pronto para meu tato,
E suspeito
Para o esquecimento.

NUVEM DE OSTRAS

É fácil esquecer rosto de pedra,
Amuleto soldado no corpo.
Embora te traga dentro de mim
Te desconheço.
Rosto de pedra se esquece assim:
Prato
Palavras escritas no muro
E lamentação.
Pretérito seu nome não se faça,
Mais esquecimentos
Mais atabaques
Mais me deixes
Nuvem de ostras e
Embranquecimento do lábio
Seco, resistente, apático
À espera
Seco, seco.
Desenho um rosto no asfalto
E o que vejo: sangue da infância,
Você crucificado no preto da parede
Que, infiltrações à parte,
Nos merece.
Você, amor meu, imantado
Me seja pedra e cavalo
Muro e lamentação,
Parede guardada no abismo do tempo.

No cofre dos deuses.
No meu esquecimento humano.
Que assim seja:
Verde
Verde
Verde e
Eu te esperando.

DEUS TERÁ LUVAS?

Enquanto te vejo
Meus olhos estão calmos, pilares postos.
Quando não, ovelhas sem rumo
E disparates.
Arranho palavras como quem toca no escuro
A luva de deus, estranhando...
E no arranhar
Adivinhar de dedos me entrando
Ficando
Possuindo
Pertencendo.
Arranhei palavras e quase à beira do inferno
Sussurrei um nome conhecido de anjo
Para me salvar.
O anjo, olhos fixados nos meus,
Me abraçou
E declarou calmamente:
Te segurarei em meus braços
Abrandarei teus soluços,
Deixe estar:
A vida da tua vida é intensa
E estou pronto para suportá-la.
Anjo Gabriel, Rafael, anjo Joel
Quem seja você,
Tome em seus braços o meu sentir de vida
A minha pulsação

Meu corpo fraco, meus saberes
Minhas mãos sem luvas
Meu calendário sem apontamentos,
Permaneça estirado, anjo qualquer
Me esperando.

Deixe estar:
Enquanto a vida for rodeada
Por pedregulhos
Suportarei sua respiração
Ausente em mim.

NUVENS

Incorretamente levaria décadas
Depurando suores seus
De oxigênios fartos
Em meu cubículo apodrecido de aromas
E de velas, então.
E de viagens e fantasias, então.
Concretamente colocaria seu nome
Num altar diminuído
E usufruiria.
Levaria décadas, incorretamente,
Adivinhando espaços nas nuvens postas
Em céu turbulento.
Espaços para membros, seus,
Deveres
Como quase toda fatalidade requer regras
Escancararia minha boca
Gritando sílabas de nome seu refeito
Nome aquilatado e demorante
Em meu peito de espera.
Décadas, incorretamente, levaria
Até descobrir em que momento
Posso te colocar de costas para minha fotografia
Dizendo claro claro alto alto
E simplesmente.
Tudo foi feito persistente e inequivocadamente,
Santos que desceram de seus céus à mostra

Nus, testemunhas, vivos
Santos como os nossos marginais
Efêmeros e evidentes.
Momento tido
Fotografia posicionada.
Céus de escuros maiores e
Mistérios feitos
Selvas, lagartos, primeiras vezes
E lógico: nenhumas.
Tantos acontecimentos
Olhos que, vez primeira, veem
Olhos, que, vez última, veem.
Perturbadoras experiências sendo vivenciadas
E outras não:
Apenas destino.
Fotografia
Eu, de costas
Jurados, testemunhas
Pássaro que passa
E um sorriso esboçado em meu rosto
De parafina.
Consumado o ato de te esquecer,
E a vida me esperando
Da janela pra fora,
Do outro lado de mim.

POR ENQUANTO...

Monocórdico, te peço tempo
Para pensar em razões,
Razões que abrandem meu coração.
Mitocôndria,
Poço raso e
Corpo delgado:
Apenas isso.
Me abrace profundamente
Sem esperar abraço de volta.
Por enquanto, isso:
Conturbado.
Que eu não te prometa abraços
E beijos.
Quero viver, sem exigência,
Coração plano
Mente quieta
Árvore baixa
Árvore baixa, amoreira
Sombra, sombra.
A vida correndo em volta
E meu olhar posto no céu.

FULIGEM DE ARANHA

Desenho
Maiúsculo de tigre
Que trago no músculo.
Desenho aumentado
De águia
Impresso na alma.
Fuligem de aranha
Tomando meus poros.
Pêssegos pendurados
Nos galhos secos
Fincados
Em quintais desabitados.
E caixas de correio entupidas
Que mascaram solidão.
Duvido que anjo tenha asa.
Asa tem quem é livre.
Palavra desusada:
Asa.
Duvido de reféns
Como de vítimas.
Entendo de caráter como de amor.
Cara de camaleão
Desenhada no pescoço
Entontecendo
Os olhos de lado posto.
A língua de trilha

A cor de umidade
A cara do camaleão
Permanecida no pescoço
Adianta da minha vida
O que deve
E revela:
A aranha pousada na caixa,
A asa guardada no armário
E o passo do dromedário
Hesitante
São sinais matemáticos
Que a vida é
Desesperadora
Insensata
Intranquila
Recorrente
Abissal e tola.
Aranha dentro da caixa,
Imprescindível:
Asa que se quer
Asa que se quer
Asa que se quer.

BICICLETA ANCORADA

O céu está parado feito floco de cereal
Num prato raso, branco
Você me disse que é marinheiro
Repensei meus anos e concluí:
Nunca tinha ouvido isso de ninguém.
Filosofia demorante: Sócrates.
Psicanálise demorante: eu
A vida, de felicidade, tem isso:
Borboleta pousada,
Submarino que se aguarda,
Cama grande e
Bicicleta ancorada esperando o dono.
Estou ladeado por pedras
Nesta praia imensa.
Alvéolos que se formam em curta distância.
Você me disse que é marinheiro
E eu acredito.
Uma pedra posta ao meu lado
Tem a forma de um camelo deitado
Que me vigia.
Felicidade estar acompanhado.
O camelo dorme na areia úmida
E sua voz socrática em meu ouvido:
Fui marinheiro.
Que saída?
O homem tem que acreditar nas mentiras

Dos outros homens
E nas suas
Para continuar a viver.
Senão:
Céu pardacento e incolor.
Meu camelo dorme.
Eu o fotografei, ele continuou.
Não lhe contei minha vida,
Talvez o despertasse se o fizesse.
Não é isso que quero.
Quero que durma.
Será que quero viver de esquecimentos?
Ignorar o que nos aconteceu
É tarefa árdua, possível.
Não olhar para trás é
Acordar o camelo no seu melhor momento de sono.
Para que esquecer?
Esquecer é mergulhar no vazio.
Gás metano
Gás metano
Gás metano no cérebro e
Divagações.

MEU CORPO TE PEDE

Estou mentindo há tempos que não te amo e
No entanto padeço
Minha boca padece
Meu corpo, posto morto, te pede
E se recusa a acreditar que não te tem.
Luas, como novas,
Transitam pelo céu de meus olhos
Acostumados a manjares e regurgitações.
A verdade é a seguinte:
Sua boca e o fluir do meteoro
Prestes,
Tem a mesma significação.
Estou mentindo a partir de agora.
A verdade não me cabe,
Como não te.
Mas, inconformado, prometido e
Inconsequente, te prometo
A verdade nunca, santíssima e oca
Me interessou.
E motivado te acrescento:
Minha máscara desenhada
Em teu contorno
Se liquefaz clara e abundantemente,

Portanto
Suspire fundo e rápido
E me tenha.
Antes que a mentira se desfaça e eu
Volte
A ser apenas isso:

INSETOS AUSENTES

Depois de tudo acabado, ainda restará algo.
Dos passos emancipados restará a sombra de alguém.
Pequenos rumores.
Inaudíveis por vezes.
Provavelmente lembrarei de sua bebida favorita.
Da forma que você fazia a comida quando chovia e
Estávamos sós.
Tenho que te dizer o seguinte e talvez seja definitivo:
Sempre te amarei porque não aprendi diferente.
Lembra daquela vez que viajamos
Para aquela ilha deserta e falamos
Pela primeira vez de amor,
Lembra do susto que você tomou?
Falar de amor sempre assusta.
É desesperador, você dizia.
Naquela noite, lua branca
Alcançável
Decantável
Ar pesado e quente
Mar perto
Insetos longe.
Naquela noite, lembro tão bem,
A vida era curta
E contínua...

NADA DO MESMO

As manhãs não são mais as mesmas
As manhãs da terra não são as mesmas
As minhas manhãs
As minhas, ao menos as minhas
Não são as mesmas.
Mesmo que os dentes andem
Dentes andantes
As manhãs continuarão diferentes
E para tanto continuarei o mesmo.
O de sempre:
O amante,
O ausente,
O importante,
O diferente.

TÁCITO

O tormento será passageiro
E os viajantes continuarão.
Próximo à tenda armada
Um pássaro espreita.
Ocluso, tácito.
Esperemos que quando houver voo
O voo
Não seja passageiro
O voo permaneça
O voo concluído, feito, firmado
Como aconchego de lar
Como palavra dita
Como amor anunciado.

ONDE?

Eu estava aflito por estar ao seu lado
Aflito pela escuridão,
Aflito por perguntas.
Então neste torpor,
Procurei, tateante
As velas que eu tinha certeza
Que estavam por ali.
Estavam?
Não mais tinha certeza.

DESMERECIMENTO DA FRUTA

O tempo de desmerecer a fruta
É o mesmo tempo em que se coloca
À prova
O corvo.
Quando a fruta amadurece
Algo que estremecia no peito
Empalidece.
E o corvo
Continua com seu voo raso.

OLHOS MORNOS

As lágrimas vincaram meu rosto
Ao mesmo tempo
Em que contemplava em teus olhos
Possibilidades nunca pensadas.
Enquanto isso
Do vinco fundo no rosto
Noto e transpareço
Que sobriedade é palavra
Grega e pétrea.
Olhos fundos e olhos mornos.

TARDE ASSOBRADADA

A tarde caiu e um emaranhado de palavras
Pende da boca entreaberta.
A tarde caída, mais que avisar
Da ausência de palavras, inoperante,
Presta-se somente a ser fotografada.
Então vale o que se sentiu:
Devaneios vários
E espaçares de consciência.
A tarde, mais que vida intensa
É tarde assobradada,
Mediúnica
Prometida
Avantajada.
Cabe uma nota musical na tarde ovalada.
O primeiro tom que cortou o dia
Foi na primeira hora desta tarde
Espiralada.
Tarde episcopal e sintomática,
Principalmente para os que amam:
Os anteriores.
Uma janela aberta desponta
Acima da cabeça dos homens
E da minha
E dos cães.
Na tarde tarde
O que se vê é uma janela rente ao céu

Que chamando pelo nome de batismo
De cada ser
Cumpre o que lhe ditam:
Abrir-se
Na tarde oblíqua às corujas
Engana-se quem pensa que não se consegue miragens.
Existem e das várias.
Principalmente as de nome escuro:
Prisma
Reflexo
Vertigem
Encantamento.
Assim
Começa o tumulto
Do coração.

NOME INVERTIDO NO ESPELHO

Olho bem em seus olhos claros,
Feito lua em açude
E me descubro.
Através do espelho
Sonho com melodias próximas
Encantadoras,
Eloquentes.
Seu nome invertido no espelho
É buraco
Fenda feita na areia.
Meu remoto pensamento te espera
Meu remoto pensamento
Te suplica e te suspeita.
Estacas amontoadas
Em galpão esquecido,
Apenas adivinháveis.
Consigo através do espelho
Com hálito próximo,
Embaçar seu nome invertido
E deduzir:
Tomarei precauções para que a vida
Não se esvaia, esgote, sucumba.
Meu nome é você.

A ESTRELA, A VIDA

A estrela está viva e vibra.
Homem que eu era
Aguardo a morte e vibro.
A estrela,
O homem que eu era,
Ainda somos
Segundo a segundo.
Experiências cruas de vida.
Experiências cruas de vida.
A estrela está viva, vibra.
E possivelmente aguarda a morte
Possivelmente a morte aguarda a morte,
Sua e dos seus.
O homem que vibra, aguarda
A vida,
E novamente vibra.
Paredes instransponíveis para ela
A estrela, a vida.
Para mim, homem que sou,
Era.
A morte que não sou,
Apática,
Aguarda o que virá.

POESIA

A caminhada pelo bosque é tranquila
E meus pés se acostumam rapidamente
Ao solo que os amparam.
Léguas e léguas de vida pelo bosque
E nuvens que se achatam no infinito
Meus pés ligeiros
Apreendem do solo o que lhes cabe:
Poesia.

CONFISSÃO

Os deuses sabem-se sós
Pois deuses.
Sempre te direi isto:
Lampejos de sofisticação
Em meu pensamento ralo,
Quando te penso.
A chuva se adensa e
Caminho triste por alamedas
Avolumadas pelas lágrimas de meus olhos.
Confesso que não te sirvo
Contudo somente acho
Escorpiões se escondem dessa chuva forte
Em matos, tocas, túneis
E há os que não.
Estes me interessam:
Os escorpiões que se mostram,
Postos à chuva
Olhando nuvens,
Reproduzindo,
Afeiçoados à vida.
Escorpiões vermelhos,
Olhos amendoados,
Chuvosos, porosos.
Chuva adensada.
Meu coração que palpita
E tristeza em mim,

No escorpião,
Na chuva,
Na água,
Na lágrima.
Tristeza abundante que nos perpassa
E nada que nos siga.
Enfim,
A vida que se adensa
E marca território.

TEM QUE SER LONGE E DE DIA

Tem que ser longe e de dia.
Lindo dia este que sei que existe.
Não sei onde.
Sei onde: longe, longe.
Tem que ser longe, de dia.
E que meus olhos alcancem.
Casa inabitada e carta que chega
Pela fresta da porta.
Tem que ser longe, longe.
De dia, de dia.
No dia de anos de alguém amado.
Oferenda,
Dia lindo
E palpitar de casa vazia
Que espera habitantes.

RECOLHIMENTO

Que a vida se torne desencantada
Arremesso inevitável.
Mãos enluvadas
Desaparecimentos.
Que a vida se faça primária:
Andar, mexer com os olhos,
Ver
E nunca amar.
Que a vida se aposse da fera
Que há em mim
A perturbe
E a torne vagarosamente
Mansa, dócil.
Cão domesticado,
Augusto.
Que a vida pouco usada
Apareça e saiba-se:
A lança,
O dardo,
O fato inevitável:
Amor dentro
E recolhimento

NINHO NO OMBRO

Infância trazida nas costas
Ventre seco e memória feliz.
Permitir que a vida
Faça ninho no ombro,
E nada pensar a não ser...
Botões do vestido vermelho
Guardado no armário,
Chá de poejo para a garganta
Enferma.
Dentes cerrados que não medem respostas
Dentes cerrados que não merecem acordo
Dentes cerrados que, brancos, que postos
À prova
Temem.
Cogumelo achado rente à alma.
Melhor que caixa vazia de esquecimento
É mão cheia de fotos preto-e-branco.
Mão cheia de vida e morte
A serem distribuídas,
Incontidas.
Tenho que te dizer o seguinte:
Mais que atalho
Caminho conhecido e sombra.
Mais que atalho e sombra
O que se sabe:
Fantasia decifrada:
Infância.

ANJOS MAQUIADOS

O paraíso não me interessa
E sim, seus anjos.
Aqui é o paraíso,
Pedras esculpidas,
Areia em pó, branca,
Nuvens sobrepostas que,
Geometricamente, brincam.
Águas claras, tonalidades inconfundíveis
E ar fresco.
Mata, muito verde, paz.
Não me interessa o paraíso.
Deste lugar
Somente quero seus anjos maquiados,
Vertebrados, possíveis.
Não os de revista, figuras.
Quero os anjos magros
Palpáveis, palatáveis
Anjos negros, flexíveis, humanos.
Não quero os que voam
E sim os rebeldes,
Os anjos travestidos
Os anjos encantados
Falantes, silenciosos
Os que se calam ao anoitecer
E os que nunca.
Minuciosos anjos quaisquer,

Das ruas, sarjetas
Das perdições,
Os anjos expulsos, espúrios
Os que desconstroem,
Que não dizem sim.
A paisagem é bela,
Sintomática,
Agressiva de tão perfeita.
Com dois dedos esticados
Retiro o sal que o mar
Depositou em meus lábios.
Nutrição: o mar insiste
Encomendo uma nova prece,
Das que não conheço
E caminho de costas,
Precisando,
Encontrando,
Perdendo,
Pedindo,
Querendo.
Anjos anjos
Incongruentes e sujos,
Abundantes.
O paraíso não me cabe
Não o alcanço.
Sou pequeno, temente,
Só, ímpar.
O paraíso não me sabe.
Saberá?
Pego na mão do anjo que encontrei

Anjo roto, torto, plausível
E por isso farto.
Andamos muito
Até nos cansarmos,
E não mais lembrarmos
De areia fina,
Gorjeios de pássaros e
Paraíso protegido.

NÃO ME ESQUEÇA

A vida é assim mesmo:
Sorvetes são tomados
Em horas devidas,
Trabalhos escolares são adiados
Esquecimentos...
A vida é assim.
Quando tivermos oportunidade
Poderemos fazer poemas,
Muitos,
Juntos.
Viagens, quem sabe?
Embora você pense,
Não estou triste.
Por que estaria?
Sou assim mesmo,
Essa tormenta.
Não me esqueça.

CAFÉ FORTE

O que você pode fazer por mim?
Que será que você pode fazer por nós dois?
Não sei, não sei.
Talvez um café bem forte,
Talvez um copo de champanhe gelado,
Uma porção de morangos frescos,
Mão cheia de carinhos,
Afeto.
A vida é cheia de afeições
E alegrias se misturam
Se misturam.
A gente se perde
E dá no que dá:
Café bem forte
Café bem forte.
Preciso estar acordado.

NÓS TE AMO OU EU TE AMAMOS

No meu corpo, o seu endereço
Jardim de hamamélis
Com esta pouca luz
Não te vejo ao fundo
Não te vejo em perspectiva
Te vejo adivinhado
Eu suspeito e insisto
Que quando morrermos
Finalmente viveremos os sonhos
Que tivemos em vida.
Nós te amo ou eu te amamos.

LAJE MUDA

Longe, muito longe das paisagens possíveis. Água cristalina que correria à margem do plausível: você encantado, perene e fértil em terreno próximo à minha residência. Balões amarelos e brancos postos simetricamente na laje muda que pedem voo. Arame destinado à minha cintura angulosa e adulta. Eu amo a totalidade dos gestos praticados pelo seu corpo e seus dentes. Afundo com prazer, como quando se descobre esquinas não sabidas, meus dedos na sua cara e os mordo em seguida. Prazer de amora madura e demorada. Amora que mancha. Permaneço em seus ossos como tutano, como cartilagem e envolvimento:

Gastura. Lua chuvosa sabendo a brancuras. De camélias. Brandamente estendo um tecido no campo forrado de folhas e passo a te esperar. Esperar sua boca de avelã, de alfinete sem ponta, porta sem batente, preguiça sem corpo mole. Esperar sua boca de creme de espera. Creme de espera. Não tenho medo enquanto te espero. É meu enredo. Quando te abraço tenho medo de perder: o abraço, você, a tarde. Feito forquilha bem desenhada me estiro dentro de suas coxas prontas para o aperto que desejo. As paisagens me são desconhecidas e procuro um amuleto que é sombra. Eu não tenho ideia de onde darão meus passos. A minha visão anda me enganando confortavelmente. Escolho com os dedos trêmulos frutas que não sei nomear. Penso inesperadamente em

sua semelhança com o ideal. O céu contém o lamento dos deuses. Meus movimentos são pausados porque em todo intervalo de instante penso em seus gestos, respirares e sutilezas. Melhor será, ao abrir a janela e sorrir, contar até dezoito e lembrar da infância longínqua e tão próxima e presente. Desfaçatez do mundo que pede a todo instante urgências que não sabemos programar e atuar. Urgências são disparates de deuses fracos que não se sustentam em seu torpor dito inquebrantável. Não compactuo, nesse período, de urgência do outro, mesmo que Deus seja o outro. A urgência é quase como a demora encapsulada. Números num calendário que se avizinham. O céu como um lápis-lazúli margeia minha pálpebra e a faz tremer de amor grande. Aorta exposta. O azul da pedra entontece minha carne que clama por ar puro. Onde adivinhar lençóis limpos, roupas macias e saudades de berço? Onde adivinhar flores frescas, frutas postas e saudades do feito?
 As paisagens longínquas fincadas na memória não mais me seduzem. São paisagens vividas e só. Eu quero o que não enxergo. Quero morrer de querer. Ou morrer querendo. Ou apenas morrer. Eu quero o que não enxergo. Quero viver de querer. Ou viver querendo. Ou apenas viver. Te esperar num oco absoluto de insensatez e de não saber dizer. Tudo o que importa na vida não sabemos dizer. Ficamos na espera de que o outro, o outro, sempre o outro, acolha com palavras doces. Palavras doces são belezas às escuras. São flores murchas e perenes. Fatalidade totalizante da vida.

REVOAR MUNDANO

Quatro cadeiras estão posicionadas
Dentro de um quarto fechado
Quatro cadeiras pretas à espera de um que sente
De quatro que sentem
Um quinto
De um quinto que talvez espere
E provavelmente
Se o cômodo comportar
Mais seres que poderão ocupar
Lugares pretendidos.
O clima do quarto é ameno
As cadeiras esperam
Pés que não deslizam
Chão rente à voz que inexiste
Por enquanto.
Pela fresta da porta que se vê
Nota se um azul claro de imensidão
Contrastando
Com a pouca luz do ambiente
Não há malabarismos feitos com cadeiras
Somente fantasmas que
Se agrupam
Um revoar mundano de pássaros coloridos
Se enxerga ou se imagina
Ao longe
Ainda bem.

Ainda bem que a vida ainda está
Ainda bem que no pulso
Que verte suor
Se percebe sinais de tolerância
Com o indizível.
Com o dia desta forma
Se firmando
É previsível que alguém
Bata à porta
Bata à porta
Abrir.

FACA DERIVADA DA BUSCA

Tirando o preto do branco resta o oco.
Levando-se em conta o resto
A faca é fincada.
Quando se pensa em abismo
Nuvens desenhadas em quase céu
Anunciam estertor.
Tirando o preto do branco resta
O inabordável.
E por falar em palhaço, a fantasia não se sabe.
Com bolas de gude não se brinca, se aprende.
Questões familiares que se impõem
Almoços rotineiros e
Pedidos de silêncio
O que você quer falar?
De qual cheiro é esse do qual se fala
Quando o lobo sinaliza?
Entorpecido o homem caminha
Em direção à montanha
E olha o céu.
Do que se fala quando se fala
E se fala
E se fala
Do céu?
Do que se entende quando se entende de si
De si
De si?

Levando-se em conta
O clima da restinga, espera-se a chuva
A decisão se dará assim:
Canaleta esperando água
O sintoma do céu azul
É o coração aberto e vermelho jorrando
A faca derivada da busca
Me envolve e me retrai
Como alvéolo, tule encrespado
Penso na terra que me cabe
E caio às bordas.

A PACIÊNCIA DA FRUTA

Tenho mãos entristecidas
Pelo tempo, pelo ar, pelo pelo
Elas sabem palavras fortes
Do que sei, do que saberia
As frutas amadurecem
Em quintais noturnos
Em declives
Em gramas enlameadas
Sóis são postos em redomas
E é melhor que assim seja
Frutas vermelhas que pedem de um lado
E neve esparsa
Intranquila
De outro
Tenho mãos que pedem urgência
As frutas anoitecidas
Brilhantes frutas espirais
E terreno que tranquiliza
Olhar o horizonte
Com seus diâmetros
Postos ao longe
É reconfortante
Tenho paciência de monge
De buda
De fé
Tenho
Paciência de espera

De mornidão, de aconchego
Tenho paciência de fruta
Posta na mesa
À hora.
À espera da mordida
À espera do deleite
A vida enxergada dessa forma:
Diametral e convidativa
Oblíqua
Quase
Pulsante
E paradoxal
Por isso mais olfativa e ousada.
Desafiadora.
A vida olhada obliquamente
Me interessa
Porque em algum momento
Me intercepta.
As frutas continuarão anoitecidas
Amadurecendo
E eu que enxergo
Longe
Voo raso para olhar
De perto
O inseto
Que
Pousa.
Meu pai me chama pelo nome.
E o seu?
Qual é?

NUVEM

Um livro, quando pode
E deixam
É mais que um livro:
Objeto tentador
É, antes de tudo,
Nuvem
Que fica nas mãos,
Peleja de contentamento
Um livro, quando instigado
E manipulado,
É mais que um objeto:
Gosto pertinente de fruta
E água que escorre
Pelo corpo avesso ao abandono.
Sutil, inconcluso e perene
É assim que se apresenta.
Às vezes cruel,
Às vezes intenso
Às vezes infantil.
Mas não duvide:
Sempre necessário.

VIDA OBLÍQUA

Ontem foi perigoso viver
Ontem era dia de preces
Ontem foi tempo de vida
Ontem era dia de não perder tempo
Perder tempo é perigoso
Assim como ganhar
Todos os dias nos chamam para agir
Ontem foi perigoso
Hoje é mais
Amanhã será.

SEMPRE AVESSO

Tranquilidade é palavra que inexiste
Tumulto generalizado de sons
E palavras que ocupam todo o contexto. Sem nexo.
Tirei três de três e adivinha o que restou: um.
Afundo como posso, polegares em terra úmida e fofa
E o que sinto: paladar e saber de estrangeiro.
Sempre avesso.
Não sei mais no que penso.
Penso e quase executo.
A vida escapa dos dedos como o tempo do relógio
A caça do caçador, o vento da peneira
E nada se espere.
Eu legitimo meu pacto com a vida
Fazendo o meu melhor: voo rasante.
Aprecio a planície que se instaura
Respiro pouco para não cansar.
Atormento meu desejo
Com gargalos impossíveis e permaneço.

APELIDO DE DEUS

Estou longe da grama verde, do céu estrelado,
Do apelido de Deus. Estou longe do que sei
Seguro, palpável e não nebuloso. Aceito
Convites para jantares e nem sei se quero.
Confusão, primeiro aviso, disparates e noites
Sem lua. Quero despejar minhas máscaras em
Água de chuva e ver o que acontece. Estou
Longe de saber o que quero: do que preciso,
Essa lonjura em meu olhar que nome tem?
Essa secura em minha boca, qual é a
Procedência? Essa brandura em meus gestos:
Que situação. Contorno com os olhos a nuvem
Que se pendura à minha frente e só o que vejo:
Abstrato, abstrato, abstrato. Vida abstrata e
Descontinuada. Quase vida impossível.
Vida de marionete e panos rotos, panos gastos,
Conhecíveis. Vida contida dentro de um corpo.
Infância pensada enquanto conhecimento do
Outro e de si. Queria saber do outro? O outro, o outro.
Me vejo represado no outro
Como aprofundamento de dogma.
A vida suspensa, toda ela, por prazeres desconhecidos e
Desejos Inconfessos. A infância é a mãe do amor.
E meu descontentamento é o dedo da armadilha...

O QUE CABE NO SEU SILÊNCIO?

Até tudo morrer, tudo morre.
Olho no olho
Espelho inteiro
Torneira aberta
Vida escorrendo.
O que cabe no seu silêncio?
O que você me pede é o que você deseja?
Do que falo quando não falo?
O vento que embaraça a palavra entra pela
Minha boca
E põe meu coração em suspensão
O vento evoca deuses
E percorre o interior de meu corpo
Deixando meus órgãos confusos
Os órgãos acostumados a seus lugares
Se encontram
E se estranham ao se perceberem.
O sangue antes entrincheirado
Agora percorre, jorra, delicia-se
A lágrima contida permanece, não se move
Até tudo morrer, tudo morre
Não se move
Crua, primitiva, ancestral
Olho no olho
Continua imóvel
Espelho inteiro

Vendavais me caibam
Tornados me amordacem
Torneira aberta
Ventanias me empalideçam
Para que ela, a lágrima
Se mostre
Vida escorrendo.

PREMEDITAR

Sintoma que ultrapassa
A veia perpendicular que me corta
Atravessa o que tenho de lucidez
E me deposita no limbo
Do que não sei.
Jogo
Palavra que perpendiculariza
Minha borda de jeito ímpar, desigual
E improvável
Como tormenta leve
Anonimato aparente
E voz de lampedusa
Adivinhar e carvão – sinônimos
Carvão e adivinhar – antônimos
Desejos inconclusos em partes
Meu corpo não se basta, precisa do teu
Mais que íntimos – sofismáveis
Desejo equivocado e inconcluso
O que é simbólico
Quando penso em caverna que acolhe
Abarca
Amalgama
Comportas abertas são comportas cindidas
Te pertenci – agora não
Nuvens algodoadas que colo pedem
Macho presente

O corpo é de alabastro
E sua curva abstracionismo aparente
Fusão de membros amendoados
Me lembre de te fazer esquecer
Vagalume que tremeluz e me fixa
Aborda e premedita
Meu arfar, meu querer
Existe um excesso de gozo consentido
Dentro dessa caverna de visgo feita
Lanterna é tatuagem no corpo
Umidade concebível pelo tato
Teu corpo é a amídala de Deus
Montanha verdejante que merece meu hálito
Meu hálito jamais construído
Sangue enfadonho que jorra
Transborda de meus contornos
E faz vizinhança
Não quero apetite nem quero destemor
Não quero pluralizar meus compromissos secretos
Você quer?
Responda:
Você quer que seu gozo dependa do outro?
Rubros lábios
Mimetismo necessário
Que me interessa.
Fumega.
Fumega
Recaída paranoica
Necessária

Qual é o oposto da falta?
Pesadelo noturno
Suor diário ou oco
Oco
Oco
Vazio buraco da falta?
Que a vida dependa de ti,
Porque do outro,
Aquele outro,
Acabou-se.

O EU INACABADO

Eu ando perdendo coisas
Eu mais que andorinha e temente
Eu imprescindível e raro
Eu que não endureço nem me engano
Eu camaleônico e reticente
Eu, andando de costas por todo tempo, ajoelhando
Eu que canto, improviso, choro e me desarmo
Eu que amo tanto, tanto e, no entanto, não comemoro
Eu coloco a mão para fora da janela do carro para sentir o vento e gosto
Eu beijo incessantemente a imagem do meu santo favorito e gosto
Eu que aperto na mão direita o dedo pequeno da esquerda e aceito
Eu aceito a demanda, não questiono e emudeço
Eu primeiramente abraço depois pergunto o nome, acho importante
Eu que entro na mata, de luz pouca, sem medo, e saio feliz
Eu que aplaudo, visito vulcões e me encanto
Eu leio incessante e ardorosamente poemas de amor inconclusos e torno a chorar
Eu que torno a chorar, eu que torno a chorar, eu que torno a chorar
Eu tomo abundantemente a chuva que cai inequívoca em meus poros e me deleito

Eu preciso mais do que nunca de direção, não a encontro
Eu preciso mais do que nunca de afirmações, só encontro dúvidas
Eu preciso mais do que nunca de colo, qualquer, e me desencanto, me desencanto
Eu que, da morte, fui amigo, hoje passo longe e sinto saudades de outros tempos
Eu sinto saudades abruptamente de seus dogmas, encantos, beijos resvalados
Eu que para além do tempo, suspiro, tomo um café amargo e planejo futuros que nunca virão
Eu te peço: compreenda
Eu te rogo:

Eu te imploro:
Eu, eu, eu
Eu adoro amar, adoro natureza, adoro bicho, faço parte e no entanto...
Eu inapropriado que sou, te encontrarei mais tarde na esquina
Eu cruzo as pernas, balanço o pé esquerdo demoradamente e penso em você
Eu sempre penso em você
Eu, onde quer que estejas e sejas, estou aqui operando meu pensar em ti
Eu acompanho com os ouvidos atentos o tilintar do relógio que diz: não é o tempo
Eu, quando posso, me dirijo ao mar e faço a reverência recomendada

Eu molho os pés, as partes todas do corpo e minha mãe, onde estará, me acompanha
Eu sei que poesia me preenche de uma forma preocupante e acalentadora
Eu sei que a poesia é minha companheira de tempos e que não me abandona
Eu sei que a poesia perdura em mim como o ar fresco nos trópicos
Eu sei que o peixe necessário à minha alimentação me será concedido no tempo certo
Eu sei que ao atravessar aquela esquina naquele dia você me olhou, e foi só
Eu sei que o tempo é inescapável, intransigente, fortuito e misterioso
Eu sei que às vezes me calo, e nas vezes em que não me calo, meu desejo era de calar
Eu sei que não sei a resposta para as perguntas que inadvertidamente se fazem: o mundo tem muitas questões
Eu sei que seu olhar posto oblíquo se interessa por mim, sei que desvia e fica por isso mesmo, mas tudo bem
Eu sei que tudo bem, nada, me intranquilizo e procuro refúgio nas ervas
Eu bem sei que acredito em palavras postas ao alcance das mãos e me desaponto
Eu, pé ante pé, tateio a parede ao meu lado te buscando e adivinha, não acho
Eu sei de tão pouca coisa que até sei repetir várias vezes o que sei: pouco

Eu cuido das flechas que me são atiradas de maneira lúdica: acaricio

Eu ergo as mãos, suplico, agradeço e ao descê-las, titubeio, arregaço as mangas e volto a levantá-las
Eu escrevo poemas sobre flores, sobre sabores, sobre deleitares, sobre atos inconclusos
Eu me separo das coisas, das pessoas, dos troncos das árvores, dos pássaros e me arrependo
Eu, de vez em quando, experimento sabores exóticos que ouvi dizer
Eu, de ouvir dizer, estou farto
Eu, de ouvir dizer, cansei
Eu devagar te penso, te abocanho, te sei
Eu devagar te acompanho, te desenho, te ouço
Eu devagar te confesso de mim, te digo de mim, te surpreendo
Eu quero meu coração exposto, quero turvado meu peito, e me alimentar de ti
Eu outrora neguei minha condição de déspota, hoje assumo
Eu sou déspota de mim, contrário de mim, minha revelação ao avesso
Eu, com os poemas por mim escritos, caminho ladeando o rio da minha imaginação
Eu, com dentes à mostra, me jogo intempestivo no charco e permaneço
Eu, ao dizer amém, me abaixo, muito, muito e choro

Eu choro muito ao dizer amém, para que a palavra
valha, para que o efeito encantatório se faça
Eu choro desenfreadamente e torno a abaixar, nos dias
quentes eu me deito
Eu, nos dias quentes, me deito no chão, sinto sua dureza
e pureza
Eu permaneço feliz, me recomponho, e rolo pelo chão
novamente
Eu quero acreditar que vale a pena, quero me emocionar
com a vida
Eu, com prazer desmedido, atravesso o quarto de tábuas
lustrosas, chego até o armário fechado
Eu, ansioso, abro este armário, pego a caixa de fotos
antigas
Eu realmente gosto de ver fotos antigas
Eu realmente gosto de me ver nessas fotos, gosto da
paisagem, dos amigos, dos elementos
Eu aprecio cada elemento, cada pedra, cada objeto
como pedaço único do universo

Eu que ando do lado esquerdo da trilha, do lado que
verdeja
Eu que quando olho seus olhos me embaraço, chamo a
nuvem mais próxima e emudeço
Eu, intolerante que sou, não compreendo os nãos que a
vida dá
Eu atentamente olho a foto, analiso, perscruto detalhes e
me emociono
Eu me emociono a cada vez, da centésima vez que olho

Eu não durmo fácil, fico pensando, pensando, rolando na cama
Eu que adoro não dormir, que adoro pensar...
Eu que bocejo involuntariamente e que adoto como truque esse bocejo, como defesa
Eu me interesso diariamente por um assunto novo: e qual é o assunto mesmo?
Eu que diariamente olho pelo olho mágico e só enxergo sombras
Eu, imponderável que sou, caminho estreitamente sobre o chão e diviso pegadas
Eu diria a você tudo que me move, tudo que me mobiliza, mas...
Eu quase que te enxergo em dias nebulosos, acendo velas, troco os sapatos
Eu desisto, de verdade, eu desisto
Eu suponho às vezes que o céu que enxergo escapa aos seus olhos
Eu também suponho, e pondero sobre, que o ar que me falta te escapa aos montes
Eu sei que o ar te é companheiro, o que me falta
Eu preciso mais do que rezas para permanecer em silêncio, preciso amuleto
Eu, em meus encontros amorosos, silencio para que a dor apareça, e ela nunca falta
Eu pedi perdão muitas vezes, dei meu corpo aos lobos diversas ocasiões e concluí:
Eu quero mais. *Eu* quero mais. *Eu* quero o abundante
Eu quero o insofismável.

Eu quero o que transborda, o que ultrapassa, o que resvala
Eu quero o intangível, o belicoso, o que tenta, o que borra
Eu quero a armadilha feita, o temente, o que temo, o que perscruta

Eu diametralmente contrário aos outros covardes, quero o olho esquerdo
Eu quero o inimaginável, o que não sabe o próprio nome,
Eu quero o inexistente, o da casa ao lado, o do planeta nem descoberto
Eu quero o que as profundezas abissais guardam em seu quadrado, em seu espaço pouco
Eu quero o muito espaço das janelas abertas, dos portões trancados, dos ares rarefeitos
Eu quero bem pouco dos deuses: seus nomes
Eu quero o verdadeiro nome de cada um deles
Eu quero ver como suportam dizer deles próprios, da falibilidade, do menos
Eu quero enxergar o menos de cada deus, eu quero olhar, olhar, olhar e ver
Eu quero mastigar com saliva posta à mostra um remédio que abrande minha dor
Eu quero me acalmar ao ver enfileirados, rotos, adjacentes, os deuses todos
Eu quero me abrandar, me tipificar como único e gozar

Eu quero gozar muito, despejante, desmaiando e
delirar...
Eu deliro como quem roga perdão, como quem veste a
roupa da festa desejada
Eu deliro como quem, ajoelhado, espera chuva espessa,
grossa, caudalosa e orgásmica
Eu quero o orgasmo da forma, e sem arrependimento,
dentes à mostra, dentes de riso
Eu, dentes de riso à mostra, mostro ao deus mais
próximo minha asa rota
Eu não preciso de asas,
Eu preciso de minha imaginação
Eu preciso de um segundo a mais, eu preciso de um
quarto de tempo para que o hábito se conclua
Eu preciso de uma palavra que defina o que sinto:
Eu preciso de uma palavra que defina o que sinto:
Eu preciso de você ao meu lado, com a mão quente
pousada na minha
Eu não preciso de asas, eu preciso de vida, de charco, de
esterco, de húmus, de música
Eu preciso de perdão, eu não preciso ser perdoado: é
diferente
Eu sei disso: intuo

Eu, de entender, compreender, equacionar, saber, estou
fartíssimo
Eu quero é nuvem em meus dedos e algodão nas
têmporas suadas
Eu quero colo de irmão e sorriso que me envolva

Eu permaneço inviolável até que o orgasmo dure,
orgasmo é igual palavra dita: definitivo
Eu te quero, e te querer é minha maldição
Eu te quero e seu hálito me é devassidão, mas me
acostumo
Eu sou assim, isso de ângulo reto, geométrico que os
objetos possuem
Eu quero que o voo se faça
Eu, às vésperas do desespero, qualquer que seja,
emudeço
Eu sempre emudeço
Eu, mais que tolerante ou tolerável, me fecho e,
arredio, entoo mantras
Eu me salvo com eles, eu me suporto, suporto o mundo
Eu me iludo, pensando que o mundo me suporta
igualmente
Eu morro a cada instante que não sei das rotas traçadas
para que eu percorra
Eu a todo instante morro, vivo morrendo e de tanto
morrer,
Eu vivo pleno, como se a cada passo fosse o derradeiro
dado, ou a ser dado
Eu, a cada passo, rompo com o imponderável e assumo
riscos
Eu, e é meu mais profundo mantra, nasci para correr
riscos
Eu deles não fujo porque deles não escapo, senão...
Eu abraço como quem se entrega: é sempre
Eu permaneço contemplando tudo ao meu redor

Eu certamente nasci para contemplar, sinto o prazer
em mim
Eu silenciosamente te ofereceria meus olhos para que
os usasse nesse momento de enlevação
Eu espero que peças, que requisites, que usufruas, que
assumas, como eu, os riscos
Eu quero o mimetismo, eu preciso dos seus dogmas, da
sua cor, do seu feitio
Eu quero o torpor do beijo bem dado, do salto sem
vislumbramento, da queda livre

Eu preciso do perigo de ter ao meu lado, no meu
encalço, na minha trama
Eu, da vida, quero você, me basta...
Eu, da vida, quero o plural, o mais-que-isso...
Eu sei, isso não me basta, eu quero o torto, o malfeito, o
anguloso, o destratável
Eu quero a rendição de um bicho acuado, sem
precedentes, sem prescrições
Eu quero o que não posso, o que não me cabe.
Eu andaria por ruas escuras e pararia em um momento,
adivinhando passos
Eu pensaria em enrodilhamentos, a náusea me tomaria
e, então, o desejo:
Eu, sentado que estaria, pousaria minhas mãos frias nas
têmporas e aguardaria.
Eu, tomado de amor, de arrepios, prepararia um
discurso fantasioso que diria ao vento
Eu sempre disse ao vento

Eu, de dizer ao vento, estou farto
Eu, de verdade, não passarei incólume pela vida
Eu mordo do alimento o que minha alma pede
Eu, mais que redemoinho, sou vento oportuno, saiba
Eu me calo, eu me exponho, eu acredito em deuses
Eu, ao me expor, aceito o jogo e não desanimo
Eu, em segredo, anoto palavras de amor que te dedico
Eu encapsulo flores maceradas que te ofertarei
Eu tenho ao meu redor pessoas especiais que quero manter
Eu tenho medo do abandono
Eu tenho medo da ideia de felicidade
Eu tenho medo do inconsequente e do impensável
Eu tenho medo do depois, depois volto a ter medo
Eu tenho medo do após, e após terei medo novamente: que trágico
Eu, de tragédias, estou farto e receoso

Eu apascento meu corpo, mente, espírito, olhando águas que correm
Eu tenho pelo corpo humano o maior respeito e sei de seus desejos
Eu sei dos recônditos desejos que se avizinham ao meu corpo, posto em pré-torpor
Eu não discrimino nada, sou todo envolvido pelo discurso, e creio
Eu não sei de você mais que seu nome, e me basta
Eu, de você, quero a névoa, o titubeante, o número desfeito, o espetáculo inacabado, o não pedido de volta

Eu quero a máscara e o muro posto, o muro rente, o muro implicado, o muro absoluto
Eu quero o muro erguido, sólido, quero o desejo farto de conclusão de ato
Eu jantei ontem uma refeição boa e lembro das lágrimas que caíam no prato enquanto suspirava
Eu permaneci pensando em poemas lidos, vidas de poetas, enquanto chorava
Eu sempre chorei muito, como choro agora
Eu, abundantemente, te choro e nos choro, pela nossa condição
Eu agora permaneço no meu primitivo que é esperar que esse drama amaine
Eu, bolinhas de gude nos bolsos quatro, não ligo, não dou a mínima
Eu me iludo quando você vem e diz que me ama, me iludo
Eu me iludo como a água da fonte que pensando banhar um anjo, banha o concreto
Eu não me interesso por incertezas e meias verdades, me interesso por omissões cambaleantes
Eu, aliás, acho que toda omissão é cambaleante
Eu acho que toda emoção é cambaleante
Eu tenho uma certeza cambaleante, indevida, que o homem é um rascunho
Eu, ontem, morri lindamente e hoje estou cambaleante
Eu vi muita fotografia e devo estar procurando um eu perdido em algumas delas
Eu, cadê eu?

Eu, cadê a vida proposta que juraram que havia, a paz permitida?

Eu quero um homem bom que me deite no colo e me repita as palavras para sempre
Eu talvez sempre tenha buscado as palavras para sempre, e nunca ouvi
Eu cismo em ouvir o que não se busca, o que não se pede
Eu teimo em encontrar refúgio no abismo embora queria o manso
Eu, o que sei de mansidão, o que sei de desabrochar calmo?
Eu silencio seus lábios quando eles tentam dizer que me amam, e reclamo...
Eu sou realmente incompreensível, e é bom que assim seja, senão morto andarei
Eu indolente, e sempre indolente, em esquinas várias, esperei, sentado, aberto e disposto
Eu cansei de esperar
Eu sou dos cataclismas, sou das tempestades, sou dos devaneios vários riscados a giz
Eu prendo a respiração para que a tempestade surja e se mostre para que
Eu usufrua
Eu peço pelos deslizes e peço pelos resvalares, mas também pelo jeito impositivo de me mostrar
Eu rezei ontem à noite por um santo oco, oco, oco, e hoje olhe como estou: desprevenido

Eu pulo corda, eu adormeço, eu jogo bola, adormeço, pinto o cabelo, adormeço
Eu faço o que quero da minha vida e gozo
Eu faço o que quero da minha vida, gozo, permaneço
Eu faço o que quero da minha vida e concluo que gosto
Eu adormeço querendo
Eu acordo buscando, e meus instantes de sensatez são raros
Eu adoro insensatez, eu amo as idiossincrasias, eu já disse que me aproximo cada vez mais de maquiagem mal feita
Eu, com sorriso sonoro, me deleito
Eu sei que meu vício é o tentar, é o quase, é o perto, é a miragem, a vida possível, não a real
Eu li certa vez que o pensar no ser amado aproxima. Será?
Eu esfrego os olhos quando acordo, tento lembrar do sonho e lembro.

Eu sei que nele está você com seu cajado me apontando um rumo.
Eu volto a esfregar os olhos, sonolentos olhos marejados, e cadê você?
Eu quero provas de meu despertar, quero condições de encarar minha prisão, meu estar sem fôlego
Eu quero que me ache em meio à balbúrdia que é minha vida. Consegue?
Eu me confundo com a loucura e a sensatez, onde estou?

Eu sempre me acovardo diante do que sinto e não gosto
Eu percorro seu corpo agigantado e me detenho, eu invariavelmente me detenho em seu corpo
Eu respiro pausado e de novo, e de novo, sob seu critério, mas não é o que gostaria
Eu vivo de cruzar os braços e esperar, mas não é o que gostaria
Eu, passarinho à revelia, quero ares outros
Eu quero mar calmo, avesso de turbulência e caráter inquestionável
Eu dou meus passos, penso no seu abraço bem dado, no seu estender de mãos, e não concluo a caminhada
Eu sonhei com você esta noite, e foi assim:
Eu estava de amarelo e você de preto, você pela primeira vez me falou de você: sonho
Eu sempre adivinhei seus estares, caminhares e movimentos dados
Eu preciso permanecer rente à lucidez para continuar com esse amor
Eu, em dias frios, saio de casa para andar pelas ruas e sempre tento me proteger
Eu sempre quero proteção, não do frio, mas de suas mãos: contrário do que quero
Eu durmo mal e me preocupo
Eu recorro pouco, muito pouco, e me desespero, eu sempre aceito, me preocupo
Eu ouço música, viajo, me importo com o entorno, me preocupo
Eu subi em muitas árvores, a infância me interessa, fui feliz

Eu arrumo meus livros, ajeito minhas roupas, falo de sucesso e me emociono

Eu limparei minhas janelas um dia, tenha certeza: a vida me escapa
Eu contemporizo: a palavra dita é só uma: pense bem
Eu me afogaria em prazeres, falaria de mitologia e invocaria os astros caso precisasse
Eu sempre preciso de arranjos, desculpas, álibis, eu vivo de reviver, de precisar
Eu, a propósito do perfume de jasmim e íris, sou devoto mais do de íris
Eu entro no templo, ajoelho, peço, recorro, principio uma nova etapa
Eu preciso de disparates, me descarrego em sua presença
Eu tenho máscara que convida à reflexão, meu ajoelhar é constante
Eu, quando me lembro das minhas brincadeiras de infância, fecho os olhos e me arrepio
Eu me arrepio quando penso o que virá, no que está atrás da parede, e permaneço
Eu, está claro, estou apavorado com a época presente, vivo arrepiado
Eu estou feliz como nunca estive: bumerangue em mãos alheias e possantes
Eu tenho cisternas nos bolsos e meu nome é encantamento

Eu tenho medalhas coloridas grudadas nos fios de seda
de meu casaco e elas tilintam a todo segundo
Eu ando de braços abertos para que o ar circule em
mim, e de mim vivo
Eu andei por vielas desconhecidas, conheci ritos papais,
me aprofundei em sortilégios e sei que o que sobrou foi
isso: ser primal e questionante
Eu me ocupo de benzeções e chás que revigoram
Eu me ocupo da palavra não usada, do andar de lado,
do não convencional e me satisfaço
Eu me ocupo de mim literal e literariamente
Eu esculpo em argila morna sua figura de anjo torto,
refaço: os anjos não existem
Eu sou mais que pássaro que não voa, sou pássaro que
já voou: é diferente
Eu sou mais que pássaro que não voa, sou pássaro
prestes a voar: é diferente

Eu me sinto igual, eu sou igual, eu serei diferente: dia
almejado
Eu acendo uma fogueira em meu quintal de noite,
recurso para pensar na vida que me escapa por
enquanto
Eu quero assoviar e acordar a lua
Eu assovio e a lua chega, vestida de vida, de baleia que
dança, de infância de prazer
Eu, com meu assovio chamante, me igualo ao dedo
que aponta e quer

Eu olho pra cima, ergo meus dedos e me conforto: eu tenho escolhas e a elas me dedico
Eu escrevo poemas, escrevo no chão, escrevo em minha alma
Eu tenho alma rabiscada
Eu tenho alma de poeta, de amante, de sarcófago entreaberto, de colcha de retalhos
Eu tenho alma rabiscada como pureza das folhas das árvores que, no outono, rabiscam o chão
Eu rezo para continuar e acendo velas em homenagem aos anjos que duvido que existam
Eu sei que o fato de eles, os anjos, estarem em minha cabeça já é a prova inequívoca de sua existência
Eu existo com eles, divido o mesmo quarto, o mesmo teto, o mesmo ar
Eu tenho a alma rabiscada de incertezas e meu nome é amor
Eu tenho a alma rabiscada de poesia e meu nome é imensidão
Eu sou tão imenso, tão vasto que não me contento com paladar
Eu pretendo o inusitado, o querer tanto, o querer inválido, o querer sem propósito
Eu custo a entender-me
Eu serei assim: me dê sua mão e o mapa de sua vida, por favor
Eu, à revelia, me amparo em sonhos, e me busco
Eu me perco em amplidões imaginárias e te busco
Eu sempre busquei suas mãos

Eu nunca as encontrei, e continuo buscando e não encontrando
Eu dobro esquinas e me encontro comigo

Eu sempre dou de cara comigo, flutuo, resvalo
Eu sei que meu predicado favorito é o resvalar fortuito, imaginário
Eu abocanho meus sonhos infantis como o papel à letra
Eu te amo diariamente, e o monge escolhe a prece
Eu, de coloridos tantos, construo sua imagem em areia fervilhante, e gosto
Eu abro a porta do meu castelo de areia com cuidado milimétrico e encontro a paz
Eu sei que paz se consegue implorando, e é isso que faço, me acostumei
Eu precisei muito de muita água e me faltou
Eu preciso muito de muito abraço e me falta
Eu leio a mensagem de ponta-cabeça e a tormenta é passageira
Eu abro o livro posto ao meu lado e me entrego
Eu sempre me entrego, eu sempre me entrego
Eu juro que não faltarei ao cortejo montado
Eu, de maquiagem aparente e forte, me mostrarei como vim ao mundo: só
Eu sempre fui só, como no primeiro dia, no primeiro olhar
Eu sempre fui só como o semblante de alguém que pede

Eu, na minha solidão descarada, escancaro o concebido
e me deixo ser, levar
Eu me deixo levar de maneira entorpecida e
enigmática, mas vou, e me deixo ir
Eu não questiono, não me aborreço
Eu mergulho minha cabeça numa água que não
nomeio
Eu saio tranquilo, desejante e controlado
Eu me preocupo, me desocupo, desabafo
Eu quero da vida o prazer imediato, depois me entedio
Eu cito seu nome, prazer de poço fundo, e respiro
melhor
Eu alcanço voo seguro quando não temo, quando não
hesito
Eu dificilmente hesito, eu erro muito, mas sem
hesitação

Eu leio trovas, poemas, diários, eu leio tudo, qualquer
coisa, e com prazer
Eu abraço demoradamente seu corpo imaginário e
torno a sorrir
Eu ando, passos contados nos dedos magros, pelas ruas
que não conheço
Eu imagino
Eu imagino
Eu, torpedeado por palavras, e quando as olho, me
recomponho feliz: a cor é isso: o que sou
Eu tenho muitos irmãos, não sei seus nomes, mas os
reconheço e os amo

Eu sempre amo o que tenho e aprendi a amar o que sou
Eu não sou mais jovem e a juventude é uma quimera domesticada que enalteço
Eu não sou prisioneiro de vaidades e o silêncio sempre me interessou
Eu sou devoto da natureza que pulsa, que se derrama sobre meu pacato ser
Eu não conheço dor maior que o não saber-se
Eu não conheço paz maior do que o suportar-se
Eu não conheço equilíbrio melhor do que o contentar-se
Eu agradeço, de verdade, com punhos à mostra, sinal de desprendimento, à natureza que me acolhe
Eu luto diariamente, incansável e rotineiro, à procura
Eu procuro algo que não tenho, mas que não sei nomear ainda, sei que não tenho, porque ainda não sou
Eu preciso ser para ter, quando serei?
Eu ouço barulhos estranhos vindo do cômodo ao lado e me exaspero
Eu te procuro: cadê você que nunca chega, avisou que estava a caminho e...
Eu te quero ao meu lado para falarmos dos barulhos, dos silêncios, dos tremores
Eu, que sempre te esperei dobrando esquinas, me canso, vez por outra.
Eu sou impuro e não sei dizer seu nome sem pensar em Deus

Eu sou impuro e, ajoelhado, soletro pausadamente seu nome, vocativo de santo
Eu sei, devoto que sou, que seu nome é quebranto em meu corpo pouco afeito a dramas
Eu desço escadarias e a cada passo dado recito você, com nome e tudo.
Eu, de nomes, estou farto, e de rótulos também
Eu sei que o que me salva é me ver livre de convenções e aprisionamentos
Eu sei que sou livre e assim quero viver até a morte, que não acredito que haja
Eu não acredito na morte
Eu não acredito no morrer
Eu não acredito no não estar mais
Eu não acredito no esfacelar-se
Eu não acredito no definitivo
Eu escrevo uma carta de amor para qualquer um, desde que me convenha
Eu me contento com a carta escrita sem destinatário, um dia chega
Eu mergulho meu rosto numa poça de água fria e saio renovado e outro
Eu penso em você
Eu, andorinha que virei, alço voo raso para estar presente na paisagem
Eu não olho de cima, eu olho de igual para igual
Eu faço parte
Eu me sento neste descampado olhando a nuvem
Eu, descabido e improvável que sou, te pediria perdão pelo meu ato falho

Eu sou o próprio ato falho da natureza
Eu nasci por acaso, como o musgo se compõe
Eu, de natureza intratável, de solfejos inaudíveis, de dedilhares inconstantes
Eu de cabeça baixa andando pela avenida
Eu de cabeça baixa, valise descomposta, fruta à mão
Eu despedaçado como objeto atirado à parede

Eu, formiga de ninguém, peço arrego
Eu, formiga de territórios inconstantes, descabidos, eu, formiga de ninguém
Eu ouvi de sua boca palavras que não me convenceram
Eu me dispo pausadamente e te espero
Eu te espero continuamente e me embaraço
Eu me embaraço quando noto seus olhos que brilham
Eu me vejo respirando como fazia na infância: pausadamente e com felicidade estampada
Eu, naquela noite de desejos intensos, e você imerso em devaneios.
Eu quero meus ossos de volta, meu esqueleto, meu marasmo
Eu hei de andar de novo em ruas seguras
Eu falei mais do que devia, mais do que precisava
Eu respiro vagarosa e bucolicamente seu nome
Eu entendo o que ocorre em minhas entranhas: desmoronar
Eu cruzo minhas pernas, ditas esquálidas, e penso na patética espera

Eu andei por ruas inseguras soletrando seu nome e me vi perdido
Eu, costumeiramente, me vejo perdido
Eu compro diversos papéis e com eles construo meus chapéus
Eu sempre adorei chapéus, e sempre os fiz
Eu construo meus alvéolos obstinadamente e me protejo do mundo neles
Eu acho o mundo intransitável
Eu acho o mundo deplorável, mas gosto
Eu gosto das pequenas armadilhas que o mundo mostra
Eu saio delas mais forte e absoluto
Eu não sei o que quer dizer a palavra absoluto
Eu também não sei dizer o que significa a palavra esperar
Eu concluí que minha maquiagem sempre borra, e é bom que assim seja

Eu mencionei você num comentário, lua presente, e estive feliz
Eu erro demoradamente para me certificar do erro
Eu realmente ando de mãos dadas com a vida
Eu me interesso por ela, por deuses e casacos puídos
Eu me sinto bem pequeno frente à vida, ela me toma, me embaraça
Eu meço as palavras quando te digo de amor, do amor, dar amor, dê amor
Eu, dia 12, comprei um maço de rabanetes flamejantes que teu será

Eu, dia 01, li um trecho de um jornal bissexto que
dizia: aflição à vista
Eu me mantive sereno, cocei, de leve as têmporas
suadas e deitei
Eu me levantei, me lembro muitas horas depois, saído
de um pesadelo bem pesado
Eu me aconcheguei a ti desde a primeira noite que te vi
Eu levarei comigo esse ajuste, ajuste bem feito e
encantador
Eu, de arrependimentos, quero distância, como a
gaivota quer da terra
Eu quero mais surpresas debaixo do meu travesseiro
macio
Eu quero desesperos resolvíveis e cantos de pássaros que
desconheço
Eu adoro pássaros desconhecidos
Eu amo apontá-los no céu, dedo menor, e dizer: aquele
é?
Eu sei dos cantos dos pássaros como sei de eternidade:
nada
Eu sei de respostas como sei de naufrágios: nada
Eu sei de tempestades tudo, como sei de poros abertos
ao toque
Eu sei de beijos, de coração pulsante e de fantasias
Eu me maquio sozinho e saio às ruas
Eu não me equivoco no mostrar-me
Eu sei do que posso e, do que não posso, intuo e tento
entender
Eu, de verdade, não sei nada, eu apenas estou, estive,
estarei

Eu chupo, com vontade absurda, o fruto que me é dado

Eu deixo escorrer seiva, líquidos, caldos, pitangas de
minha mão rachada pelo tempo
Eu quero minha alma posta em equilíbrio com meu
corpo que sempre pediu
Eu escrevo sobre aquela cena na praça entre nós,
desfecho: mitologia dada
Eu te ouço falar de mim, te ouço me desejar, te ouço às
espreitas e não
Eu falo de Deus, te falo do céu, te falo do inverso
Eu te falar do inverso de mim, me causa arrepios e por
isso interrompo meu falar
Eu quero meus ossos de volta, onde guardaste?
Eu quero saber que tipo de diversão andas tendo com
minha ossatura, meu equilíbrio
Eu quero te ouvir falar de mim sem colocar um outro
na frase, na tessitura
Eu me visto de nuvem rala para percorrer o quarteirão
sem me cansar
Eu nunca me cansei, eu sou permanente e incansável
Eu, de nuvem rala, insetos leves, pessoas compostas,
bichos eternos, entendo
Eu não desanimo com os nãos da vida, nem com os sins
Eu, quando brinquei no parque, perdi a noção do
futuro
Eu sempre quis estar nesse lugar: o que não quer perder
o parque

Eu não quero parar de brincar, a vida que aguente, a vida é brincar constante
Eu olho meu retrato de infância, na parede da infância e soletro: adorável
Eu lidarei com suas palavras feericamente: te amo muito e te direi sempre disso
Eu, de paredes brancas, estou farto, eu, de morangos insossos, estou farto, eu, eu, eu...
Eu quero meu osso de volta, e com ele meu sentido de ser
Eu assumi que preciso de dogmas e vou escrever sobre isso.
Eu ajoelho mesmo, eu ando mesmo, eu grito mesmo, quando faço é pra valer
Eu sonhei que sabia seu nome inteiro e acordei. Não sabia.
Eu nunca soube. Seu nome será beleza? Seu nome será pintura? Seu nome será relva?
Eu estendo meus dedos molhados pela água do mar até ti e tenho: sorver
Eu quero a polidez dos que respiram baixo e encontro sorte embaixo do tapete

Eu me desespero com debandadas e de lado me aproximo do céu prenhe
Eu me fotografo sentado, rodo o corpo e caio sentado do banco, porque é preciso
Eu te fotografo sentado, nuvens postas ao seu lado e me benzo, porque é preciso

Eu embalo bonecas antigas de porcelana como se
crianças fossem e... basta
Eu te bastaria se soubesses como lidar comigo, contigo
e com a vida posta
Eu entendo de redemoinhos como quem escolhe feijão
para o cozimento: jogar o jogo
Eu sei que jogo o jogo e o jogo é bárbaro, inútil, bacia
d'água vazia, vaziez no contorno
Eu rego a planta de espinhos com a mesma destreza do
conteúdo do calvário
Eu falo de pó como quem clama por vida e joga dados
em branco
Eu durmo amuado, amuado e a estrela que me observa
não entende de maracujás
Eu não choro facilmente, me comporto como
ventríloquo à mesa, sem convidados
Eu olho por debaixo da mesa, não vejo seus pés
ensaboados por meus dedos finos
Eu nunca presencio a presença de seus pés
Eu nunca te contorno com os olhos, eu nunca te
contorno, eu nunca...
Eu tenho duas cerâmicas com seu toque que me são
imprescindíveis
Eu preciso do ar que te sustenta, te abarca, te amalgama
Eu dormirei de lado essa noite para que o sonho não
me transporte
Eu sei que o sonho não pode com corpos reclinados,
não há espaço
Eu me assusto de verdade quando da sua boca sai um
eu te amo arfante

Eu não me acostumo com essas falas desesperadoras, é
como rezar sem abrir a boca
Eu não me contento com templos abandonados, quero
o abandono em si
Eu quero que a vadiagem me entonteça e então eu me
esgote em não saberes
Eu quero não saber, eu quero não saber, apenas intuir e
achar que sim
Eu quero o barco vazio, noite fresca, peixe aos montes,
luar, luar, luar
Eu quero mais que noite de ilha deserta, quero o então
Eu quero o então das coisas, porque compreende o
tudo do outro

Eu, formiga, bicho que sou, me inocento de trapaças
Eu lambuzo sua vida de dicionário e a decomponho
Eu vivo me esquivando de afazeres de prazer, e reclamo
Eu quero saber do meu batismo, assunto que não se
esgota
Eu pretendo, pretendi, da vida, reter o não que não
escapa, o ímã da coisa
Eu choro toda vez que o pardacento do céu se avoluma
em mim, em mim, em mim
Eu troco as cores, de propósito, para avaliar melhor
onde estou
Eu não sei onde estou, eu não sei por onde ando, eu
não te encontro
Eu, frente à alma do outro me emociono muito, choro,
e permaneço fugidio

Eu não sei o que fazer, eu peço perdão, eu duvido dos
meus talentos, dotes, perdão te peço
Eu permaneço atrás da parede, escorado, palmas das
mãos suadas, tornozelo seco
Eu de secura, peixe azul, lamparina acesa, toalha de
organza, avencas vermelhas
Eu de proporção, filete de luz, estrela maldita, olhos
permanecidos, maquiagem
Eu de janela entreaberta, rosto colado, música lenta,
desgosto, gosto, parede amarela
Eu de mar que me chama, de cavalo submerso, desejo
inconcluso, incompleto,
Eu de ventania vespertina, prédios almofadados, amores
repentinos, tecla, tecla, tecla...
Eu de cachorro em cachorro, de passo hesitante,
colapso no parapeito, vulcão
Eu de vulcão, de miosótis, de repentina madrugada
vazia, de vaziez, de persiana
Eu de bálsamo, de erva, de reza, de mãe que morreu,
de pai que morreu, de ausências
Eu de ausência em ausência, de perdas, de pouca luz
disponível
Eu de cadeira jogada, de relógio que atrasa, de dedo
magro que apalpa
Eu de olho no mar que engancha, me toma, me enleva
Eu de palhaço posto, de mascarado posto, de
genuflexões não aparentes, inoperantes
Eu de reticência maculada, velho barqueiro à deriva, de
plural em plural

Eu pescoço do dia que finda, do dia inteiriço, do dia branco dia branco
Eu de girafa em girafa, de boca que pede, de garganta seca

Eu de garrafa engolida pela areia
Eu não estou bem certo do que quero
Eu ao menos sei soletrar o nome do pai
Eu não tenho recursos e busco em vão
Eu busco retalhos em baús mofados
Eu, inconcluso que sou, me perco em divagações
Eu não concluo
Eu sei de alguma coisa que não alterará em nada o que vivencio
Eu penso com a geografia no bolso e resvalares acontecem
Eu, do mamão, abocanho sementes
Eu, superficial e caudaloso, ouso falar sim, sem saber
Eu acordo diariamente esperando respostas
Eu durmo insatisfeito e sorrio sempre
Eu apreendo pouco dos outros e me torno intranquilo
Eu olho da janela da minha vida e vejo cores que gosto
Eu aperto com tanta força a maçaneta que fico com a mão dolorida
Eu não dou importância para o nome dito, por enquanto nem ouço
Eu não dou importância ao que sei, somente ao que intuo
Eu não te dou importância e raramente te ouço

Eu raramente me deito à tarde e, quando o faço, por ser raro, adoro
Eu adoro disparates, ouvir e falar
Eu preciso da vida contida na chuva e suas cores
Eu preciso de mais tempo: entenda
Eu preciso de mais tempo: entenda
Eu preciso de mão no ombro e carinho na nuca
Eu preciso de carinho na barriga e do sobrenatural dos seus olhos

Eu preciso tanto quanto o pássaro da asa, dos seus delírios em meu ouvido, na orelha
Eu preciso dos seus olhos, aquedutos repousados em meus pelos postos
Eu necessito, mais do que preciso, dos seus contornos em meus dedos
Eu lido bem com a baleia, mas com o mar...
Eu preciso desse seu sorriso nesta fotografia da parede, que parede é essa...
Eu, de um trago único, quero tomar o veneno da vida e ver no que dá...
Eu assistindo acabrunhado seu gesticular constante, choro
Eu sempre choro quando te vejo
Eu nunca choro quando te tenho
Eu sempre choro quando adormeço ao seu lado
Eu nunca choro quando estou aquecido pelos dedos seus, seu tato
Eu, do seu tato, sei pouco

Eu, do seu cheiro, sei pouco
Eu, do seu ser, sei demais
Eu, do seu ser, sei mais do que devo, do que me é
permitido saber
Eu intuo que é chegada a hora de calar
Eu e a vida temos muito a contar um ao outro
Eu quero ouvir mais, contar mais estrelas
Eu quero aprender mais do que o silêncio carrega em
seu profundo vácuo
Eu participo da colheita das flores e sinto o perfume
que chega
Eu tolero o humano e amo
Eu me tenho como criaDor
Eu criaDor e desassossegado e falho
Eu que canso fácil e crio
Eu que absorvo a seiva e me recomponho
Eu criaDor de nuvens e pirilampos

Eu criaDor do que não se sabe e dói
Eu criaDor do que se sabe incompleto para todo o
sempre
Eu crio nuvem oca e melancia leve
Eu anoiteço com o grilo e me calo ao despertar
Eu, inadequado que sou, te peço para que quebre o
relógio
Eu sei o que você vê quando me olha

Eu, mãos postas à mesa, permaneço à procura,

Eu de soslaio, de possibilidade, nunca de fato, sempre o
que imagino
Eu amo serpente
Eu amo colheita
Eu, de braços abaixados, confesso que te amo
Eu te amo inequívoca e inesperadamente
Eu, ajoelhado que fico, te peço
Eu, de verdade, não sei ainda que nome te darei
Eu prescindo de explicação quanto à palavra dita
Eu transfiro voluntariamente meus dogmas para
minhas mãos: escrevo
Eu sei de desígnios vários que em momento algum
foram imaginados
Eu corri muitas vezes ladeando o lago à procura do
peixe
Eu o encontrei, eu o perdi, eu o tenho
Eu, mãos postas na mesa, de nada sei...
Eu, assim continuarei
Eu, assim, assim, continuarei
Eu, e só...

José Carlos Honório (São Paulo, 1964)
é livreiro, escritor, artista plástico, curador
de arte, psicanalista e editor. Tem seis livros
publicados: *Em breve outra noite* (1986),
O céu nu e a biruta (1990), *Atravessar teu
corpo* (1992), *O mar é tarde demais* (1994),
No Deus que o diga dos dias (2002)
e *Dias de colecionar borboletas* (2006).
Amante de viagens e da natureza, tem no
amor o combustível básico para sua escrita.
A paciência da fruta é seu sétimo livro.

© 2018 José Carlos Honório
Todos os direitos desta edição reservados
à Laranja Original Editora e Produtora Ltda.

www.laranjaoriginal.com.br

Editores
Filipe Moreau
Germana Zanettini

Capa e projeto gráfico
Thereza de Almeida

Produção executiva
Gabriel Mayor

Foto da capa
Marco Prass

Foto do autor
Gabriel Mayor

Dados Internacionais de Catalogação
na Publicação (CIP)
(Câmara Brasileira do Livro, SP, Brasil)

Honório, José Carlos

A paciência da fruta / José Carlos Honório. –
1. ed. – São Paulo : Laranja Original, 2018.
ISBN 978-85-92875-35-0

1. Poesia brasileira I. Título.

18-16701   CDD-869.1

Índices para catálogo sistemático:
1. Poesia : Literatura brasileira 869.1
Cibele Maria Dias - Bibliotecária - CRB-8/9427

FONTES BERTHOLD AKZIDENZ GROTESK E ELECTRA
PAPEL CHAMBRIL AVENA SOFT 90G
IMPRESSÃO GRÁFICA BARTIRA